中华人民共和国工程建设地方标准

# 贵州省装配式建筑评价标准

# Standard for assessment of prefabricated building in Guizhou Province

**DBJ 52/T 100 − 2020**

批准部门：贵州省住房和城乡建设厅
施行日期：2 0 2 0 年 1 0 月 0 1 日

中国建筑工业出版社
2020 北 京

中华人民共和国工程建设地方标准

**贵州省装配式建筑评价标准**

Standard for assessment of prefabricated
building in Guizhou Province

**DBJ 52/T 100－2020**

*

中国建筑工业出版社出版、发行（北京海淀三里河路 9 号）

各地新华书店、建筑书店经销

霸州市顺浩图文科技发展有限公司制版

廊坊市海涛印刷有限公司印刷

*

开本：850 毫米×1168 毫米 1/32 印张：1 字数：24 千字

2021 年 2 月第一版 2021 年 2 月第一次印刷

定价：**28.00** 元

统一书号：15112・36277



本社网址：http://www.cabp.com.cn

网上书店：http://www.china-building.com.cn

# 贵州省住房和城乡建设厅

---

## 关于发布贵州省工程建设地方标准《贵州省装配式建筑评价标准》的通知

各市（州）、贵安新区住房和城乡建设局，各有关单位：

由贵州中建建筑科研设计院有限公司、中建四局第三建设有限公司主编的《贵州省装配式建筑评价标准》已编制完成，在通过我厅组织的专家审查并经公示无异议后，现予发布。《贵州省装配式建筑评价标准》编号为 DBJ 52/T 100－2020，自 2020 年 10 月 01 日起实施。

以上标准由贵州省住房和城乡建设厅负责管理和解释。在该标准执行过程中如有意见和建议，请随时反馈给省住房和城乡建设厅建筑节能与科技处。

贵州省住房和城乡建设厅

2020 年 8 月 24 日

# 前　言

根据贵州省住房和城乡建设厅《关于下达〈贵州省装配式建筑评价标准〉贵州省工程建设地方标准编制任务的通知》的要求，标准编制组经广泛调查研究，认真总结经验，参考国内外有关标准，结合我省实际情况，在广泛征求意见的基础上，制定本标准。

本标准共分5章。主要技术内容包括：1. 总则；2. 术语；3. 基本规定；4. 装配率计算；5. 评价等级划分。

本标准由贵州省住房和城乡建设厅负责管理，由主编单位负责具体技术内容的解释。执行过程中如有意见或建议，请寄送至贵州中建建筑科研设计院有限公司（地址：贵阳市南明区甘荫塘甘平路4号，邮编550006，电子邮箱：sjkyy@cscec.com，联系电话：0851-83812712）。

本标准主编单位：贵州中建建筑科研设计院有限公司
　　　　　　　　中建四局第三建设有限公司

本标准参编单位：贵阳市住房和城乡建设局
　　　　　　　　贵州省建筑科学研究检测中心
　　　　　　　　贵阳市建筑设计院有限公司
　　　　　　　　中铁五局集团建筑工程有限责任公司
　　　　　　　　中建科技贵州有限公司
　　　　　　　　贵阳万科房地产有限公司
　　　　　　　　中建四局贵州投资建设有限公司
　　　　　　　　瓮福化工科技有限公司
　　　　　　　　贵州建工集团第一建筑工程有限责任公司
　　　　　　　　贵州建工集团第二建筑工程有限责任公司
　　　　　　　　贵州建工集团第三建筑工程有限责任公司

贵州建工集团第四建筑工程有限责任公司
贵州建工集团第五建筑工程有限责任公司
昌宜（天津）模板租赁有限公司
四川中泰联合设计股份有限公司
贵州致远杭萧钢构有限公司
贵州恒科建筑科技有限公司
贵州大学勘察设计研究院
贵阳职业技术学院
遵义建工（集团）有限公司

本标准主要起草人员：黄巧玲　李东旭　郭　松　钟　佳
卢云祥　杨　彬　李正常　董　艺
陈德勤　刘　恩　张以兵　周　晨
戴　维　汪文秋　陈建光　薛绍秀
姜　坤　卢从军　周遵富　刁　川
周　涛　方明涛　王子丹　张兴刚
姜　浩　隆宗鸷　缑文平　王　红
胡素兵　孙庆伟　杨雪瑞　吴德勇
张佳盛　陈润杰　王　斌　周志书
刘　洋　唐　坤　罗　杰　何松涛
刘　璇　郭德取　杜　运　杨正茂
贺深阳　周克锋　曾　强　朱　江
顾　斌　晏邦向　李亚红　陈美科
冯钰雯　李　毅　潘正斌

本标准主要审查人员：董　云　刘成钢　郭登林　李宏图
谢　翔　李剑寒　禄　劲　潘佩瑶
邵　玮

# 目 次

1 总则 ······ 1
2 术语 ······ 2
3 基本规定 ······ 3
4 装配率计算 ······ 4
5 评价等级划分 ······ 10
本标准用词说明 ······ 11
引用标准名录 ······ 12
附：条文说明 ······ 13

# Contents

1 General Provisions ........................................ 1
2 Terms ........................................ 2
3 Basic Requirements ........................................ 3
4 Prefabrication Ratio Calculation ........................................ 4
5 Evaluation Grading ........................................ 10
Explanation of Wording in This Standard ........................................ 11
List of Quoted Standard ........................................ 12
Addition: Explanation of Provisions ........................................ 13

# 1 总　　则

**1.0.1** 为促进贵州省装配式建筑发展，规范装配式建筑评价，制定本标准。

**1.0.2** 本标准适用于评价贵州省装配式建筑的装配化程度。

**1.0.3** 本标准采用装配率评价建筑的装配化程度。

**1.0.4** 装配式建筑评价除应符合本标准外，尚应符合国家现行有关标准的规定。

# 2 术　　语

**2.0.1** 装配式建筑　prefabricated building

由预制部品部件在工地装配而成的建筑。

**2.0.2** 装配率　prefabrication ratio

单体建筑室外地坪以上的主体结构、围护墙和内隔墙、装修和设备管线等采用预制部品部件的综合比例。

**2.0.3** 全装修　decorated

建筑功能空间的固定面装修和设备设施安装全部完成，达到建筑使用功能和性能的基本要求。

**2.0.4** 集成厨房　integrated kitchen

地面、吊顶、墙面、橱柜、厨房设备及管线等通过设计集成、工厂生产，在工地主要采用干式工法装配而成的厨房。

**2.0.5** 集成卫生间　integrated bathroom

地面、吊顶、墙面、洁具设备及管线等通过设计集成、工厂生产，在工地主要采用干式工法装配而成的卫生间。

**2.0.6** 干式工法　non-wet construction

采用干作业施工的建造方法。

**2.0.7** 高精度模板　high-precision formwork

由工厂定制，精度高，强度刚度满足施工要求，安装方便，可多次周转使用且达到免抹灰效果的绿色无污染模板。

**2.0.8** 免拆模板　permanent formwork

按规定形状、尺寸在工厂预制成型的免拆除模板制品。浇筑完成后模板立面垂直度、外表面平整度的偏差应不应大于 3mm。

# 3 基本规定

**3.0.1** 装配率计算和装配式建筑等级评价应以单体建筑作为计算和评价单元，并应符合下列规定：

**1** 单体建筑应按项目规划批准文件的建筑编号确认；

**2** 单体建筑由主楼和裙房组成时，主楼和裙房可按不同的单体建筑进行计算和评价；

**3** 单体建筑的层数不大于3层，且地上建筑面积不超过 $500m^2$ 时，可由多个单体建筑组成建筑组团作为计算和评价单元。

**3.0.2** 装配式建筑评价应符合下列规定：

**1** 设计阶段宜进行预评价，并应按设计文件计算装配率；

**2** 项目评价应在竣工验收阶段进行，并应按竣工验收资料计算装配率和确定评价等级。

**3.0.3** 装配式建筑应同时满足下列要求：

**1** 主体结构部分的评价分值不低于20分，采用钢结构时主体结构应全部采用工厂制作的预制构件；

**2** 围护墙和内隔墙部分的计算分值不低于10分；

**3** 采用全装修；

**4** 装配率不低于50%。

**3.0.4** 装配式建筑宜采用装配化装修。

# 4 装配率计算

**4.0.1** 装配率应根据表 4.0.1 中评价项分值按下式计算：

$$P=\left(\frac{Q_1+Q_2+Q_3}{100-Q_4}+\frac{Q_5}{100}\right)\times100\% \qquad (4.0.1)$$

式中：$P$——装配率；

$Q_1$——主体结构指标实际得分值；

$Q_2$——围护墙和内隔墙指标实际得分值；

$Q_3$——装修与设备管线指标实际得分值；

$Q_4$——评价项目中缺少的评价项分值总和；

$Q_5$——加分项得分值。

**表 4.0.1 装配式建筑评分表**

<table>
<tr><th colspan="3">评价项</th><th>评价要求</th><th>评价分值</th><th>最低分值</th></tr>
<tr><td rowspan="3">主体结构（50 分）</td><td rowspan="2">柱、支撑、承重墙、延性墙板等竖向构件</td><td>A. 采用预制构件</td><td>35%≤比例≤80%</td><td>20~30*</td><td rowspan="3">20</td></tr>
<tr><td>B. 采用高精度模板或免拆模板施工</td><td>70%≤比例≤100%</td><td>5~10*</td></tr>
<tr><td colspan="2">梁、板、楼梯、阳台、空调板等构件</td><td>70%≤比例≤80%</td><td>10~20*</td></tr>
<tr><td rowspan="6">围护墙和内隔墙（20 分）</td><td colspan="2">非承重围护墙非砌筑</td><td>比例≥80%</td><td>5</td><td rowspan="6">10</td></tr>
<tr><td rowspan="2">外围护墙体集成化</td><td>A. 围护墙与保温、隔热、装饰一体化</td><td>50%≤比例≤80%</td><td>2~5*</td></tr>
<tr><td>B. 围护墙与保温、隔热一体化</td><td>50%≤比例≤80%</td><td>1.4~3.5*</td></tr>
<tr><td colspan="2">内隔墙非砌筑</td><td>比例≥50%</td><td>5</td></tr>
<tr><td rowspan="2">内隔墙体集成化</td><td>A. 内隔墙与管线、装修一体化</td><td>50%≤比例≤80%</td><td>2~5*</td></tr>
<tr><td>B. 内隔墙与管线一体化</td><td>50%≤比例≤80%</td><td>1.4~3.5*</td></tr>
</table>

续表 4.0.1

<table>
<tr><th colspan="3">评价项</th><th>评价要求</th><th>评价分值</th><th>最低分值</th></tr>
<tr><td rowspan="5">装修和设备管线（30 分）</td><td colspan="2">全装修</td><td>—</td><td>6</td><td>6</td></tr>
<tr><td colspan="2">干式工法楼面、地面</td><td>比例≥70%</td><td>6</td><td rowspan="4">—</td></tr>
<tr><td colspan="2">集成厨房</td><td>70%≤比例≤90%</td><td>3~6*</td></tr>
<tr><td colspan="2">集成卫生间</td><td>70%≤比例≤90%</td><td>3~6*</td></tr>
<tr><td colspan="2">管线分离</td><td>50%≤比例≤70%</td><td>4~6*</td></tr>
<tr><td rowspan="10">加分项（5 分）</td><td colspan="2" rowspan="3">BIM 技术应用</td><td>设计阶段</td><td>0.5</td><td rowspan="10">总分不超过 5 分</td></tr>
<tr><td>生产阶段</td><td>0.5</td></tr>
<tr><td>施工阶段</td><td>0.5</td></tr>
<tr><td colspan="2">EPC 总承包模式</td><td>采用</td><td>1.5</td></tr>
<tr><td rowspan="2">工业化施工技术</td><td>A. 装配式外爬架</td><td>采用</td><td>1</td></tr>
<tr><td>B. 预制装配式围墙</td><td>采用</td><td>1</td></tr>
<tr><td colspan="2">绿色建筑</td><td>一星级（含一星）以上</td><td>1</td></tr>
<tr><td colspan="2">标准化、模块化、集约化设计</td><td>采用</td><td>0.5</td></tr>
<tr><td colspan="2">磷石膏非砌筑内隔墙</td><td>比例≥50%</td><td>1</td></tr>
</table>

注：1　表中带“*”项的分值采用“内插法”计算，计算结果取小数点后1位。

2　表中每得分子项 A、B 项不同时计分，其余项均可同时计分。

**4.0.2**　主体结构中竖向构件的计算比例

**1**　当采用混凝土预制构件时，应按下式计算：

$$q_{1a}=V_{1a}/V\times100\%$$

式中：$q_{1a}$——主体结构竖向构件中预制部品部件的应用比例；

$V_{1a}$——主体结构竖向构件中预制混凝土构件体积之和；

$V$——主体结构竖向构件混凝土总体积。

**2**　当采用高精度模板或免拆模板施工工艺时，应按下式计算：

$$q_{1b}=V_{1b}/V\times100\%$$

式中：$q_{1b}$——主体结构竖向构件中高精度模板或免拆模板施工工艺的应用比例；

$V_{1b}$——主体结构竖向构件中采用高精度模板或免拆模板施工工艺现浇混凝土体积之和；

$V$——主体结构竖向构件混凝土总体积。

**4.0.3** 当符合下列规定时，主体结构竖向构件间连接部分的后浇混凝土可计入预制混凝土体积计算。

**1** 预制剪力墙板之间宽度不大于600mm的竖向现浇段和高度不大300mm的水平后浇带、圈梁的后浇混凝土体积。

**2** 预制框架柱和框架梁之间柱梁节点区的后浇混凝土体积。

**3** 预制柱间高度不大于柱截面较小尺寸的连接区后浇混凝土体积。

**4** 预制剪力墙板两端的现浇端柱或边长不大于600mm的现浇暗柱可计入预制混凝土体积计算。

**4.0.4** 主体结构中水平构件的计算比例

主体结构水平构件包括：梁、板、楼梯、阳台、空调板等构件，其预制部品部件的应用比例应按下式计算：

$$q_{1c}=A_{1c}/A\times 100\%$$

式中：$q_{1c}$——梁、板、楼梯、阳台、空调板等构件中预制部品部件的应用比例；

$A_{1c}$——各楼层中预制装配梁、板、楼梯、阳台、空调板等构件的水平投影面积之和；

$A$——各楼层建筑平面总面积。

**4.0.5** 预制装配式楼板、屋面板的水平投影面积可包括：

**1** 预制装配式叠合楼板、屋面板的水平投影面积；

**2** 预制构件间宽度不大于300mm的后浇混凝土带水平投影面积；

**3** 金属楼承板和屋面板、木楼盖和屋盖及其他在施工现场免支模的楼盖和屋盖的水平投影面积。

**4.0.6** 非承重围护墙中非砌筑墙体的应用比例应按下式计算：

$$q_{2a}=A_{2a}/A_{w1}\times100\%$$

式中：$q_{2a}$——非承重围护墙中非砌筑墙体的应用比例；

$A_{2a}$——各楼层非承重围护墙中非砌筑墙体的外表面积之和，计算时可不扣除门、窗及预留洞口等的面积；

$A_{w1}$——各楼层非承重围护墙外表面总面积，计算时可不扣除门、窗及预留洞口等的面积。

**4.0.7** 围护墙采用墙体、保温、隔热、装饰一体化的应用比例应按下式计算：

$$q_{2b}=A_{2b}/A_{w2}\times100\%$$

式中：$q_{2b}$——围护墙采用墙体、保温、隔热、装饰一体化的应用比例；

$A_{2b}$——各楼层采用墙体、保温、隔热、装饰一体化做法的围护墙外表面积之和，计算时可不扣除门、窗及预留洞口等的面积；

$A_{w2}$——各楼层围护墙外表面总面积，计算时可不扣除门、窗及预留洞口等的面积。

**4.0.8** 围护墙采用墙体、保温、隔热一体化的应用比例应按下式计算：

$$q_{2c}=A_{2c}/A_{w2}\times100\%$$

式中：$q_{2c}$——围护墙采用墙体、保温、隔热一体化的应用比例；

$A_{2c}$——各楼层采用墙体、保温、隔热一体化做法的围护墙外表面积之和，计算时可不扣除门、窗及预留洞口等的面积；

$A_{w2}$——各楼层围护墙外表面总面积，计算时可不扣除门、窗及预留洞口等的面积。

**4.0.9** 内隔墙中非砌筑墙体的应用比例应按下式计算：

$$q_{2d}=A_{2d}/A_{n3}\times100\%$$

式中：$q_{2d}$——内隔墙中非砌筑墙体的应用比例；

$A_{2d}$——各楼层内隔墙中非砌筑墙体的墙面面积之和，计算时可不扣除门、窗及预留洞口等的面积；

$A_{n3}$——各楼层内隔墙墙面总面积，计算时可不扣除门、窗及预留洞口等的面积。

**4.0.10** 内隔墙采用墙体、管线、装修一体化的应用比例应按下式计算：

$$q_{2e}=A_{2e}/A_{n3}\times100\%$$

式中：$q_{2e}$——内隔墙采用墙体、管线、装修一体化的应用比例；

$A_{2e}$——各楼层内隔墙采用墙体、管线、装修一体化的墙面面积之和，计算时可不扣除门、窗及预留洞口等的面积。

**4.0.11** 内隔墙采用墙体、管线一体化的应用比例应按下式计算：

$$q_{2f}=A_{2f}/A_{n3}\times100\%$$

式中：$q_{2f}$——内隔墙采用墙体、管线一体化的应用比例；

$A_{2f}$——各楼层内隔墙采用墙体、管线一体化的墙面面积之和，计算时可不扣除门、窗及预留洞口等的面积。

**4.0.12** 干式工法楼面、地面的应用比例应按下式计算：

$$q_{3a}=A_{3a}/A\times100\%$$

式中：$q_{3a}$——干式工法楼面、地面的应用比例；

$A_{3a}$——各楼层采用干式工法的楼面、地面水平投影面积之和。

**4.0.13** 集成厨房的橱柜和厨房设备等应全部安装到位，墙面、顶面和地面中干式工法的应用比例应按下式计算：

$$q_{3b}=A_{3b}/A_{k}\times100\%$$

式中：$q_{3b}$——集成厨房干式工法的应用比例；

$A_{3b}$——各楼层厨房墙面、顶面和地面采用干式工法的面积之和；

$A_{k}$——各楼层厨房的墙面、顶面和地面的总面积。

**4.0.14** 集成卫生间的洁具设备等应全部安装到位，墙面、顶面和地面中干式工法的应用比例应按下式计算：

$$q_{3c}=A_{3c}/A_{b}\times100\%$$

式中：$q_{3c}$——集成卫生间干式工法的应用比例；

$A_{3c}$——各楼层卫生间墙面、顶面和地面采用干式工法的面积之和；

$A_b$——各楼层卫生间墙面、顶面和地面的总面积。

**4.0.15** 管线分离比例应按下式计算：

$$q_{3d}=L_{3d}/L\times100\%$$

式中：$q_{3d}$——管线分离比例；

$L_{3d}$——各楼层管线分离的长度，包括裸露于室内空间以及敷设在地面架空层、非承重墙体空腔和吊顶内的电气、给水、排水和采暖管线长度之和；

$L$——各楼层电气、给水、排水和采暖管线的总长度。

**4.0.16** 参评项目的加分项总分不超过 5 分。

# 5 评价等级划分

**5.0.1** 当评价项目满足本标准第 3.0.3 条全部要求，可进行装配式建筑等级评价。

**5.0.2** 装配式建筑评价等级应划分为 A 级、AA 级、AAA 级，并应符合下列规定：

**1** 装配率为 50%~59%，评价为装配式建筑；

**2** 装配率为 60%~75%，评价为 A 级装配式建筑；

**3** 装配率为 76%~90%，评价为 AA 级装配式建筑；

**4** 装配率为 91%及以上，评价为 AAA 级装配式建筑。

# 本标准用词说明

**1** 为便于在执行本标准条文时区别对待，对要求严格程度不同的用词说明如下：

**1**）表示很严格，非这样做不可的：
正面词采用“必须”，反面词采用“严禁”；

**2**）表示严格，在正常情况下均应这样做的：
正面词采用“应”，反面词采用“不应”或“不得”；

**3**）表示允许稍有选择，在条件许可时首先应这样做的：
正面词采用“宜”，反面词采用“不宜”；

**4**）表示有选择，在一定条件下可以这样做的，采用“可”。

**2** 标准中指明应按其他有关标准执行时，写法为：“应符合……的规定（要求）”或“应按……执行”。

# 引用标准名录

**1** 《装配式建筑评价标准》GB/T 51129
**2** 《装配式混凝土建筑技术标准》GB/T 51231
**3** 《绿色建筑评价标准》GB/T 50378
**4** 《建筑信息模型应用统一标准》GB/T 51212
**5** 《贵州省绿色建筑评价标准》DBJ 52/T 065

# 中华人民共和国工程建设地方标准

# 贵州省装配式建筑评价标准

**DBJ 52/T 100-2020**

条 文 说 明

# 目　次

1　总则 ………………………………………………………………… 15
2　术语 ………………………………………………………………… 16
3　基本规定 …………………………………………………………… 17
4　装配率计算 ………………………………………………………… 18

# 1 总　　则

**1.0.1** 《中共中央国务院关于进一步加强城市规划建设管理工作的若干意见》《国务院办公厅关于大力发展装配式建筑的指导意见》明确提出发展装配式建筑，装配式建筑进入快速发展阶段。为推进贵州省装配式建筑健康发展，亟须构建一套适合贵州省发展实际的装配式建筑评价体系，对其实施科学、统一、规范的评价。

本标准总体遵守了国家现行标准《装配式建筑评价标准》GB/T 51129 的编制原则和评价方法，根据贵州省装配式建筑的发展特点和需求，调整和补充了主体结构、围护墙和内隔墙、装修和设备管线系统中各评价项的分值及评价，增设了加分项。

**1.0.2** 本标准适用于贵州省内采用装配方式建造的工业与民用建筑评价。

# 2 术　　语

**2.0.1** 装配式建筑是一个系统工程，是将预制部品部件通过系统集成的方法在施工现场装配，实现建筑主体结构构件预制，非承重围护墙和内隔墙非砌筑并全装修的建筑。装配式建筑包括装配式混凝土建筑、装配式钢结构建筑、装配式木结构建筑及装配式混合结构建筑等。

**2.0.4** 集成厨房多指居住建筑中的厨房，本条强调了厨房的"集成性"和"功能性"。集成厨房是装配式建筑装饰装修的重要组成部分，其设计应按照标准化、系列化原则，并符合干式工法施工的要求，在制作和加工阶段实现装配化。

当评价项目各楼层厨房中的橱柜、厨房设备等全部安装到位，且墙面、顶面和地面采用干式工法的应用比例大于70%时，应认定为采用了集成厨房；当比例大于90%时，可认定为集成厨房。

**2.0.5** 集成卫生间充分考虑了卫生间空间的多样组合或分隔，包括多器具的集成卫生间产品和仅有洗面、洗浴或便溺等单一功能模块的集成卫生间产品。集成卫生间是装配式建筑装饰装修的重要组成部分，其设计应按照标准化、系列化原则，并符合干式工法施工的要求，在制作和加工阶段实现装配化。

当评价项目各楼层卫生间中的洁具设备等全部安装到位，且墙面、顶面和地面采用干式工法的应用比例大于70%时，应认定为采用了集成卫生间；当比例大于90%时，可认定为集成卫生间。

# 3 基本规定

**3.0.1** 以单体建筑作为装配率计算和装配式建筑等级评价的单元，主要基于单体建筑可构成整个活动的工作单位和产品，并能全面、系统地反映装配式建筑的特点，具有较好的可操作性。

**3.0.2** 为保证装配式建筑评价质量和效果，切实发挥评价工作的指导作用，装配式建筑评价分为项目评价和预评价。

为促使装配式建筑设计理念尽早融入项目实施过程中，项目宜在初步设计完成后，施工图设计前进行预评价；当无初步设计时，应在施工图设计完成时进行预评价。如果预评价结果不满足装配式建筑评价的相关要求，项目可结合预评价过程中发现的不足，通过调整或优化设计方案使其满足要求。

项目评价应在竣工验收时，按照竣工资料和相关证明文件进行项目评价。项目评价是装配式建筑评价的最终结果，评价内容包括计算评价项目的装配率和确定评价等级。

**3.0.3** 本条是评价项目可以评定为装配式建筑的基本条件，符合本条要求的评价项目，可以认定为装配式建筑。但是否可以评价为 A 级、AA 级、AAA 级装配式建筑，尚应符合本标准第 5 章的规定。

**3.0.4** 装配化装修是绿色装配式建筑的倡导方向。装配化装修是将工厂生产的部品部件在现场进行组合安装的装修方式，主要包括干式工法楼（地）面、集成厨房、集成卫生间、管线分离等方面的内容。

# 4 装配率计算

**4.0.1** 评价项目的装配率应按照本条规定进行计算，计算结果应按照四舍五入法取整数。若计算过程中，评价项目缺少表4.0.1中对应的某建筑功能评价项（例如，公共建筑中未设置厨房），则该评价项分值计入装配率计算公式的 $Q_4$ 中。另外，由于加分项的存在，装配率计算结果如出现超过100%的情况，则按100%计。

表4.0.1中部分评价项在评价要求部分只列出了比例范围的区间。在工程评价过程中，如果实际计算的评价比例小于比例范围中的最小值，则评价分值取0分；如果实际计算的评价比例大于比例范围中的最大值，则评价分值取比例范围中最大值对应的评价分值。例如：当楼（屋）盖构件中预制部品部件的应用比例小于70%时，该项评价分值为0分；当应用比例大于80%时，该项评价分值为20分。

按照本条的规定，装配式木结构建筑主体结构竖向构件评价项得分可为30分。

按照本条的规定，主体结构为装配式钢结构或钢-混凝土混合结构时，评价项分值按下列情况计算：

**1** 竖向构件全部采用钢构件，得30分。

**2** 框架柱采用钢柱或外包钢-混凝土组合柱，剪力墙采用外包钢-混凝土组合剪力墙时，得25分。

**3** 框架柱采用钢柱或外包钢-混凝土组合柱，剪力墙采用混凝土剪力墙（含型钢混凝土剪力墙、型钢（钢管）混凝土剪力墙、内藏钢板混凝土剪力墙、带钢斜撑混凝土剪力墙）时，得20分。

**4.0.2** 装配整体式框架-现浇混凝土剪力墙或核心筒结构可采用

本标准进行评价。$V_{1a}$ 的取值应包括所有预制框架柱体积和满足本标准 4.0.3 条规定的可计入计算的后浇混凝土体积，$V$ 的取值应包括框架柱、剪力墙和核心筒全部混凝土体积。

**4.0.5** 本条规定了可认定为装配式楼板、屋面板等水平构件的主要情况。其中第 1、2 款的规定主要是便于简化计算。金属楼承板包括压型钢板、钢筋桁架楼承板等在施工现场免支模的楼（屋）盖体系，是钢结构建筑中最常用的楼板类型。施工现场免支模楼（屋）盖体系包括加气混凝土屋面板、复合材料免拆模板等其他材质的楼（屋）面用免拆模板。

**4.0.6** 新型建筑围护墙体的应用对提高建筑质量和品质、建造模式的改变等都具有重要意义，积极引导和逐步推广新型建筑围护墙体也是装配式建筑的重点工作。非砌筑是新型建筑围护墙体的共同特征之一，非砌筑类型墙体包括各种中大型板材、幕墙、木骨架或轻钢骨架复合墙体等，应满足工厂生产、现场安装、以“干法”施工为主的要求。

**4.0.7** 围护墙采用墙体、保温、隔热、装饰一体化强调的是“集成性”，通过集成，满足结构、保温、隔热、装饰要求。同时还强调了从设计阶段需进行一体化集成设计，实现多功能一体的“围护墙系统”。

**4.0.9** 内隔墙中非砌筑墙体包括轻钢龙骨石膏板隔墙、蒸压轻质加气混凝土墙板、钢筋陶粒混凝土轻质墙板、磷石膏条板、轻骨架磷石膏喷筑复合墙等形式的装配式内隔墙板。

**4.0.10** 内隔墙采用墙体、管线、装修一体化强调的是“集成性”。内隔墙从设计阶段就需进行一体化集成设计，在管线综合设计的基础上，实现墙体与管线的集成以及土建与装修的一体化，从而形成“内隔墙系统”。

**4.0.15** 考虑到工程实际需要，纳入管线分离比例计算的管线专业包括电气（强电、弱电、通信等）、给水、排水和采暖等专业。

对于裸露于室内空间以及敷设在地面架空层、非承重墙体空腔和吊顶内的管线应认定为管线分离。对于埋置在结构构件内部（不含横穿）或敷设在湿作业地面垫层内的管线（不包括地暖盘管）认定为管线未分离。

**4.0.16** 加分项

加分项总分最高可得 5 分，超过 5 分则按 5 分计。

**1.** BIM 技术应用

设计、生产、施工方应提供包括主体结构、外围护、室内装修和设备管线等完整的、与现状相一致的 BIM 资料给建设方，以满足使用方在运营、维护阶段的主要需求，使建筑信息管理更精确。按照《建筑信息模型应用统一标准》GB/T 51212 的相关要求，在设计阶段采用 BIM 技术，可得 0.5 分；在生产阶段采用 BIM 技术，可得 0.5 分；在施工阶段采用 BIM 技术，可得 0.5 分。

BIM 技术应用加分子项可同时计分，总分最高可得 1.5 分。

**2.** EPC 总承包模式

装配式建筑使用“设计、采购、施工”建造模式，打通装配式设计深化、构件生产、现场安装的壁垒，实现工程建造组织化、系统化、精益化，提高装配式建筑的建设和建造质量。一家单位或联合体单位以 EPC 总承包管理模式建造的评价项目可得 1.5 分。

**3.** 工业化施工技术

装配式外爬架：采用（轻）钢结构分片集成，通过液压或电动提升系统进行分片或整体提升的外脚手架，可以随主体结构施工进度进行提升或下降，免除脚手架的拆装工序，提高施工效率，可得 1 分。

施工现场采用预制装配式围墙，实现现场临时设施构件装配化，可得 1 分。

工业化施工技术加分子项不同时计分，总分最高可得 1 分。

**4.** 绿色建筑

达到绿色建筑一星、二星或三星的项目，加分项可得 1 分。

**5**. 标准化、模块化、集约化设计

采用标准化、模块化、集约化设计，实现“少规格、多组合”的目标。

**1**）标准化的居住户型单元和公共建筑基本功能单元数量（如写字楼的标准办公间、酒店的标准间、医院的标准病房、学校的标准教室等）利用率超过总数量的70%，可得0.5分；

**2**）标准化门窗数量超过总数量的70%，可得0.5分。

各加分子项不同时计分，总分最高可得0.5分。

**6**. 磷石膏非砌筑内隔墙

为促进贵州省磷石膏建材的推广应用，应用磷石膏非砌筑内隔墙比例大于50%的建筑，可得1分。